NARUTO
-火影忍者-

卷之三

為了夢想…！

岸本斉史

NARUTO

—火影忍者—

卷之三

為了夢想…！

目　次

18：修練開始
爬樹？
沒錯…
聽起來好像很無聊！
幹這種事情也可以算是修練嗎？
你們把話聽到最後！

這不是普通的爬樹！
而是不用手爬上去。
！
好像很有趣哦～！
？那要怎麼爬啊……
好…你們等著瞧！
沙！
ガッ！
！！
！

……
爬上去了……
只用腳垂直地爬上去…
嘿唷～
大概就是這種感覺吧。
把查克拉聚集在腳底，使身體吸附在樹幹上。
查克拉運用得宜的話，就可以達到這種境界。
等一下！學會爬樹為什麼會變強啊！
問題就在這裡！
你們聽好！
這個修練的目的…

首先要學會控制查克拉。
將提煉出來的查克拉…只把必要的份量，集中在必要的地方…
我剛才也說過了，這是施展忍術時最重要的部份。
這一點即使是熟練的忍者也很難達到。
而「爬樹」時所需要的查克拉數量非常微妙…
精神能量
身體能量
而且腳底是最難聚集查克拉的部位！
嗯！也就是說……
只要學會「控制」的技巧，不管怎樣困難的忍術都可以學會！
理論上來說啦！
ず
う

第2個目的是鍛鍊你們，把聚集在腳底的查克拉維持下去的「持續力」…
因應不同忍術的需要，想要維持經過平衡「控制」的查克拉，
是一件非常困難的事。
而且忍者提煉查克拉的時候，
幾乎都是在非得不停移動的戰鬥中。
在這種狀況下想要「控制」及「維持」查克拉…可以說是難上加難。
所以我才叫你們藉著爬樹，
來鍛鍊查克拉的運用方法！
…不過，光是我在廢話，你們也學不會…

所以就只能讓你們親自體會了。
！
！
！
ガッ
ガッ
ガッ
你們用苦無在自身的能力可以爬到的地方做個記號，
接下來你們就要努力爬到比那個記號還要高的地方，
你們一開始恐怕不會爬的很順利，
所以你們就一口氣衝上去，看能衝到哪裡…知道了嗎？

這種修練對我來說……
真是簡單的不得了啊！
パシッ
因為我現在是成長最快的人啊！
……
不要說大話了，
你們隨便找一棵樹，開始爬吧！
好——
首先把查克拉聚集在腳底……
ムム～!!
好啦——！
衝啊——！！
ブウン…

好痛哦——!
滑下
ダッ
ダッ
ダッ
ダッ
嗚!
バキ
哇啊…
バチィ!
ガッ!!

ザッ…
クルン
スタ
…沒想到維持一定的查克拉居然這麼困難…
要是查克拉太強的話，會把樹踩斷…
哇啊～～！
可是太弱的話，就產生不了附著力。
ゴロゴロ
…就像他那樣。
算了…！
鳴人跟佐助的差距就是這麼回事吧。
！
這還挺簡單的啊！

小櫻!
嘿嘿嘿
現在最會控制查克拉的人，好像是女孩子的小櫻啊……
嘖!
好厲害哦!小櫻真有一套!不愧是被我看上的女孩子!
……可是，我好像有一點挺不爽的!
我只想讓佐助認同我而已…
為什麼每次都這樣子!

哎呀——！不光是對查克拉的知識，
而且「控制力」跟「持續力」也很不簡單，這樣看來…
目前最接近火影的——是小櫻吧…
這跟某人不一樣。
而且宇智波家的人其實也沒什麼了不起的嘛。
ピク
老師你很囉唆耶！
不要害我被佐助討厭！
雖然這樣說…
鳴人跟佐助…這兩個傢伙身上隱藏的查克拉量比小櫻還要多出很多…
如果這個修練順利進行下去的話，
這會成為他們巨大的財產…

好啦——！最先的目標就放在追上佐助！
我一定要做到！
……
沙！
哼！
就算你們幹這種事，也是沒用的……
緊握！

ガチャ
你又被人解決掉，夾著尾巴逃回來啦？
卡多專屬保鏢（武士）
法拉急
看來霧之國的忍者還真是沒用啊！
同樣是卡多專屬保鏢（武士）
卓利

連替部下擦屁股也辦不到，這算什麼鬼人啊…
笑死我了。
…………
ズイッ
ピタッ!!
居合斬啊…？
等一下…
スッ
喂…
テクテク
你不要閉嘴不說話啊…
スッ…

給我回答啊…
ガッ
！
メリメリ
不要用你的髒手摸再不斬先生…
嗚！你…

!!
!!
這…這怎麼可能…
居然在一瞬間移動…
勸你們不要動手比較好…
我已經生氣了。

他是怪物啊…
ゴクッ
再給你一次機會…要是下次也失敗的話…
這裡就沒有你們的容身之處了！
喂，我們走吧！
我…我的力量……
スッ…
卡沙！
バタン！
スッ
白…你何必多管閒事…
這個我知道…
不過現在殺死卡多還太早了。
要是我們在這裡引起騷動的話，又會被那群傢伙追殺！
所以現在要多忍耐啊。
是啊…
…說的也對。

嗚嗚嗚嗚……
好痛啊——!!
ドロ
ドロ
呼呼
呼呼
ピク
ピク
呼呼
呼呼
呼呼
呼呼
呼呼
呼呼
呼呼
呼呼
……我快累塌了！
他們兩個的體力怎麼這麼好啊……
呼
呼
可是，鳴人這個傢伙一點進步都沒有……
我看他差不多要放棄，開始抱怨了，一定會這樣……
可惡！

看吧！
他這個人的個性就是這麼好猜……
可惡！
踏
喂，小櫻……妳能不能告訴我秘訣啊？
咦？
他還會變得更強……
到底會成長到什麼地步呢……
……因為，鳴人他……他潛在的查克拉量恐怕在佐助之上……還有……
就連我也比不上他……
真叫人期待啊……真是的……

與鳴人一樣深知
孤獨滋味的少年

〔主要角色的初期設定稿〕

這就是佐助的初期設定，跟現在的樣子並沒有多大的差異。
有點不一樣的地方，大概就是他的首飾不見了。其實，我在畫每個角色的設定稿時，線條都會越畫越多，甚至還替他們加了一些裝飾品。因此人物的線條看起來會比較複雜。

尤其是主要角色，因為我會顯得非常有幹勁，所以就畫了很多線條上去…到最後才反過來吐槽自己說：「線條這麼多的角色，真的能以趕得上週刊連載的速度畫出來嗎…」

佐助原本是用不少線條畫出來的，但最後也只好減少他的線條，並且把他塑造成能夠跟鳴人形成對比的角色。

對我而言，佐助的臉與動作是所有角色中最難畫的，如果一不小心，就會讓他變成雖然是小孩子的身材，卻有大哥哥的臉蛋…因為這種用斜眼看人的小帥哥，從來就沒有出現在我所創作的漫畫之中，所以特別難畫…
現在佐助還是我花最多心思去畫的角色，所以他也變成我最喜歡的角色了。

19：勇氣的象徵

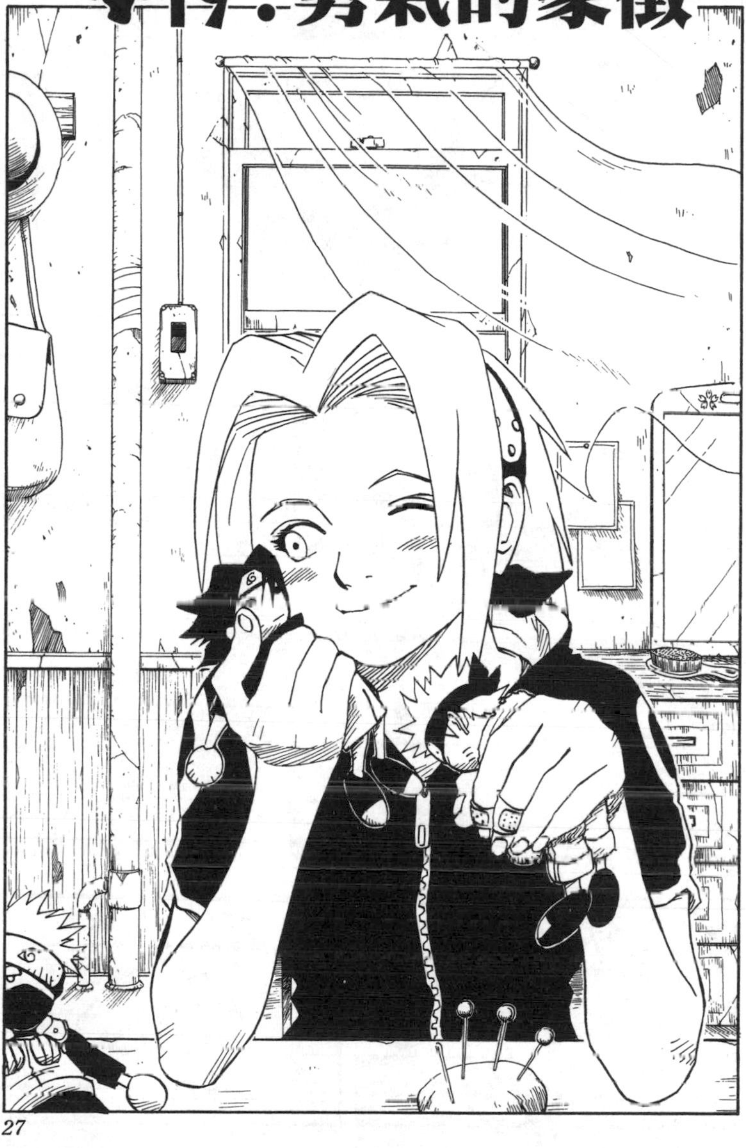

呼啊～～
好無聊哦…
カコン
カン
カン
ガン
ガン
ガチャ
ガチャ

呼
ザッ
妳一個人看起來好像很無聊啊。
安全
那個金髮小子跟酷小子跑去哪裡啦？
他們還在修練。
那妳不用嗎？
因為我很優秀，
所以卡卡西老師叫我來保護老伯！
真的嗎……？
……

可以打擾一下嗎⋯達茲納。
嘿唷！
嗯⋯
怎麼啦，基奇？
第
我想了很多⋯蓋橋這件事⋯
我可以退出嗎⋯⋯
為⋯為什麼？
怎麼這麼突然⋯連你也這麼說！
達茲納！我跟你是老朋友了。
我很想幫你，可是這樣的話，連我們也會被卡多盯上！
而且要是你被殺死的話，那就太划不來了！

所以我想退出啊…
…蓋橋的事也一樣…
……
不能這樣啊。
這座橋是我們的橋，
我們相信這座橋可以帶給這個超級貧窮的波之國物流跟交通，
所以鎮上的人才合力打造它啊。
可是要是死掉的話…
已經中午了…今天就到此為止。
第三
基奇………你明天就不用來了。

ゾロ
ゾロ
什麼工作都願意做

等一下！小偷啊！
キョロ
キョロ
我女兒叫我回去的時候買午飯的材料啊…

這個城鎮…
是怎麼回事…
他還是小孩子啊…
哦哦，就在這裡！
蔬菜店
不要隨地小便
歡迎光臨！
幾乎什麼都沒有啊……
ビクッ!!
スッ

アタア!
呀啊——!!
有色狼!
不…不對啦…
哎呀——剛剛真是讓人嚇一大跳啊!
這個城鎮到底怎麼啦?
ピク
!?
又來啦?
拉!
!

哈哈—
卡多來了之後，這裡就變成這種模樣了。
ダッ
這裡的大人變得愈來愈膽小…
………
所以現在…我們很需要那座橋…
那是勇氣的象徵……那是為了讓這個國家決定逆來順受的人們，重新找回「面對現實」的勇氣啊！
只要那座橋…那座橋可以完工的話…
城鎮就會跟那個時候一樣…大家也就會回來了…
佐助……
鳴人…

哇啊啊啊！

グラ
カッ
スタ！
！
ダダダダ
可惡！可惡！
呼
呼
佐助那傢伙爬得又更高了……！
呼

ガ
ザッ
ガ
ラ
!
タッ!
タッ!
タッ
咕……!
可惡……!
那傢伙快追上來了……

可惡啊！
ザザザッ
不行！不行！
不要為了佐助的事分心，
ブンブン
這樣會沒辦法集中精神啊。
小櫻，告訴我訣竅啦！
…真是拿你沒辦法…
你給我聽好了！因為查克拉是運用精神能量，所以不能夠太緊張。
要放鬆精神，不斷地讓一定量的查克拉聚集在腳底，然後把注意力集中在樹上！
集中！集中！很好，就是這種感覺！
帥啊！這次一定可以成功！
喂，鳴人！
ズゴーン

你在搞什麼鬼——欠揍啊！
想打架嗎！
不要打擾我集中精神啦！
……
就…就是那個啊！
到…到底哪個啊！
真難得，這傢伙居然會主動跟我講話……
小…
小櫻跟你講了些什麼啊…？
!?
賊笑
不告訴你！
!
ピク
……
寂——静

哎呀——真是有夠高興的！
好久沒有這麼多人一起吃飯啦！
カチャ
カチャ
ガッ
カッ
ガツ
ガツ
再來一碗！
スッ！
スッ！
バチ
バチ
！
嗚！
？
ゲロゲロ～
……
要吐就不要吃啦！
ガタ！
呼
呼
呼
呼
……不，我還要吃！

就算忍耐也要吃下去，
因為我不快一點變強不行啊！
沒錯沒錯！
可是吐出來就不對囉♡
不好意思，為什麼要把破掉的照片掛在這裡啊？
吃飯的時候，伊那利一直看著這張照片。
這看起來好像是誰故意把這一角撕掉的。
!
!

…………
……那是
我丈夫。
…以前……
被稱為城
鎮英雄的
人…
ガタ…
ズッ
伊那利！
你要去哪
裡…？
バタン
伊那利！

爸爸！我不是叫你不要在伊那利面前提那個人的事嗎？你每次…
バタン
………
伊那利他到底怎麼了？
這看起來好像有什麼原因啊…
………
…伊那利的繼父……
跟他感情非常好，就像真正的父子一樣…
那個時候的伊那利真的是一個笑口常開的孩子…

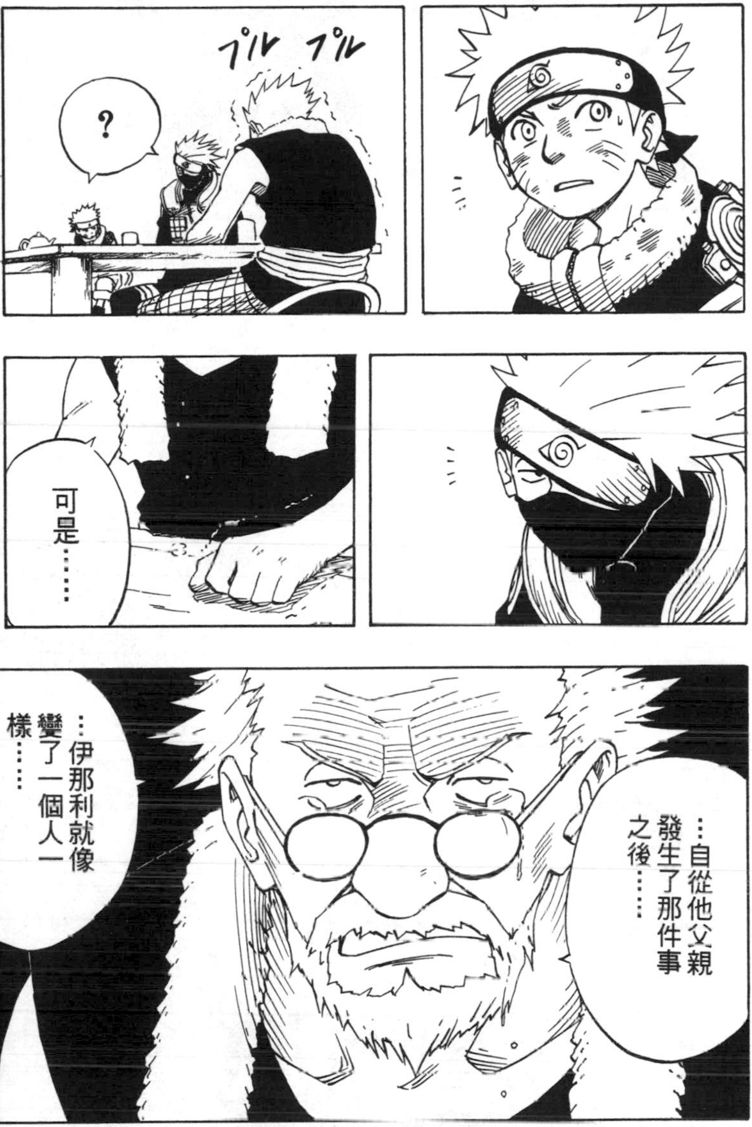
プル プル
?
可是……
……自從他父親發生了那件事之後……
……伊那利就像變了一個人一樣……

20：以前有個英雄…！

將這個島上人們的、以及伊那利的「勇氣」永遠奪走的……
都是因為那天的…那件事…
！
！
！
！
那件事？
伊那利到底遇到了什麼？
…………
要說明這件事的話，首先……
要從以前在這個國家，被大家稱為英雄的那個人開始說才行。
ズッ
英雄…？

大概3年前…
波奇！
伊那利遇到了那個人。
不對！牠的名字是射擊之星…從今天開始就是我的狗了！
牠不是射擊之星！牠是我的波奇啦！
還給我！
ムカ！
波奇是我的好朋友！
我才不會把牠送給你！
少囉唆——！
ザザァ
……
丟掉
汪？
哼！

ドッボーン
!!
バシャバシャ
波奇——!!
ヴォエブ！ヴォエブ！！
嘿嘿…誰叫你不肯乖乖地把狗給我，
那種笨狗我才不要呢！
喂！把伊那利放開！
你…你為什麼這麼做…你想害死波奇嗎？
嘿嘿！那條狗對你很重要吧！
快點去救牠啊！
嗚…
你怎麼啦，快看…
就算波奇死掉也沒關係嗎！

怎麼可能沒關係！
牠是我唯一的朋友啊！
バシャ バシャ
可是……可是……
ガタガタ
對不起……波奇……
我不會游泳啊……
混蛋！如果牠是你的狗，你就跳下去救牠啊！
ズッ
ドカッ
哇啊——
ザボー
這！這樣不太好吧，阿卡奈大哥……要是這傢伙不會游泳的話……
嗚嗚……救……救命啊……！

不要管他。
可……可是……
不然的話，那你去救他啊？
哇啊！
我……我不想死啊……
誰……誰來救我啊……！
バシャ
！
汪汪！
波…波奇——？
バタ
バタ
カキ
カキ
順道一提——
波奇——!!!
スー
バシャ！
波奇在那個時候學會了狗爬式……
波奇——！

哇啊!
啊!
射擊之星要逃走了!快去追啊!
汪汪!
波……波奇!
啊啊……
好…好難過。
我不行了…
我想我…
死定了…
カッ!
パチ
小子,你醒啦……
!!
ムク

我已經教訓過那些壞孩子了。
パチ
パチ
…拿去吃吧！
……是神嗎？
不……
……
叔叔…是你救我的嗎？
…嗯…你被欺負的還真慘啊！
原來如此…連狗都不要你了…
我老家的狗啊，可是很忠心的動物哦…
ハグ ハグ
パチ
パチ
不過是你先背叛了狗的信賴，所以也不能怪小狗不要你啦…
しゅん
……！

我害怕的身體動不了啊…
グスッ
！
……
我很想去救牠…
可是…因為我沒有勇氣……
ポン
這是當然的啊…任何人在像你這麼大的時候，都一定會害怕的。
可是啊…小子，這點你一定要記好。
ストッ
如果你是男人，就選擇不會讓自己後悔的生活方式…
什麼？
？

真正重要的東西啊……
不論痛苦也好、悲傷也好…都要努力到底，
グッ
就算失去生命，也要用雙手來保護到底啊！
ポッ
如此一來，就算死掉的話，也會永遠留下男子漢…
活過的證據…
沒錯吧？
哈哈哈，你大概聽不懂吧…
嗯！

你終於笑了啊！多吃一點！多吃一點！
好！
他名叫凱沙，是從外國來這個島追求夢想的漁夫⋯
從那之後⋯⋯伊那利就變得很黏凱沙。
ギュ！
ギュ！
大概是因為在他懂事之前，真正的父親就已經過世的緣故吧⋯
伊那利像跟屁蟲一樣，每天跟在凱沙後面，和真正的父子一樣⋯
怎樣啊？
沒過多久⋯⋯凱沙就變成我們家的一員。
ザザザ
而他也成為我們這個城鎮不可或缺的人。
バタッ
不⋯不好啦！凱沙，大雨讓河水決堤啦！

這樣下去D區會被水給淹沒啊！
什麼！
爸爸！
伊那利，快去裡面拿繩索！
好！
不行了，除非把繩索套到河堤上拉住…
不要胡說！繩索要怎樣才能套到河堤上！
跳進這種激流可是會出人命啊！
可是再拖拖拉拉的話，D區就完蛋了…該怎麼辦才好…
讓我來。

凱沙！
不要逞強！
真的會死人啊！
就算是你也辦不到啊！
爸爸——
不要擔心…老爸是無敵的。
バッ！
摸！
スッ
……老爸最喜歡有伊那利仕的城鎮啊。

ザブーーン!!
凱沙！
ザバ
真正重要的東西啊……
就算失去生命……
也要用雙手來……
保護到底啊！
爸爸加油——
好耶！繩子套上了！
大家用力拉啊！
在這之後……

這裡的人都稱凱沙為英雄，
對伊那利來說，凱沙是可以讓他抬頭挺胸的爸爸。
可是…自從卡多來到這裡之後……
…然後就發生了某件事…
………
!
到底…發生什麼事了？
プル
プル
………
凱沙在大家的面前……
被卡多公開處死了！

咦？
大家聽好！這個恐怖份子想要用暴力的手段來對抗卡多集團的政策，
……
嗚……
並企圖擾亂這個國家的秩序，所以我逮捕了他，公開在這裡行刑！
ガヤ
ガヤ
ガヤ
我也打從心底希望，不要再發生這種無聊的事了！
爸爸——！
伊那利！
ガシャ

動手…
クル
チン
拔出
爸爸——！
你不是說…要用雙手…保護我…保護這裡的人嗎？
……爸爸你騙人！
之後伊那利就變了一個人…
津奈美…還有村莊裡的每個人也…

英雄就跟笨蛋一樣，
那是不可能存在的啦！
嗚…
嗚…
爸爸…
ガタ
！
！
鳴人，你幹什麼啊…
ド
サッ
好痛！
……如果你要去修練的話，我勸你不必了，
你提煉查克拉太過頭了，要是再動的話，會死掉的哦。

我要去證明給他看……
？
證明什麼？
我要去證明給他看…
這個世界上還是有英雄存在的！

21：
森林中
的相遇…！
——修練開始後
第六天的早上…
スー
スー
チュン
ザッ…

チュン
摘
チュン
チュン
バサ
バザッ
啊！
！

バサ
ツン
ツン
……
ゴロン
うーん
!
踏
你在鬼扯什麼啊——!
你到底是誰!
スッ
バサ
バサ

呼啊~~~
嗯啊~
鳴人那傢伙昨天晚上也沒回來啊？
他聽完老伯說的話之後，就每天晚上一個人去爬樹了。
他就是這種單純的傻瓜…
他現在大概使用查克拉過度，快累死了吧！
鳴人他有沒有事啊？小孩子三更半夜一個人跑出去的…
你們不用擔心啦。
別看他那樣，他好歹也算是忍者啊。

是嗎……他真的還活著嗎？
那個超級大白癡……
……………
鼾——
鼾——
鼾——
鼾

在這邊睡覺會感冒的哦。
拍
…嗯…？
嗯——？
妳是……誰啊——？
對了！對了！這個草可以摘嗎？

這個草是藥草嗎？
不好意思，要你來幫我的忙。
大姊姊，一大早的，妳還真辛苦啊。
你才是啊！這麼早睡在這裡幹什麼？
修練！
！
嗯…看你有護額，難道你是忍者嗎？
！！
ピク
我看起來是這樣嗎？真的嗎？沒錯！我是忍者！
哦——你好厲害哦！
嘿嘿！

你為什麼要修練啊？
因為我想變得更厲害啊。
嗯——可是你看起來已經很厲害了啊。
不行！不行！我還想變得更厲害！
……
為什麼…
你要這麼努力呢…
因為我想成為村子裡最厲害的忍者！
我要讓所有的人都認同我的力量！
而且我還要向某個人證明一件事啊！

……你這麼做是為了誰嗎？
還是為了自己？
……
什麼？
……
嘻嘻
！
ムカ
還有什麼好笑的！
你有……
對你很重要的人嗎？
！
？
嗯～～妳想說什麼啊？大姊姊……

!?
スッ

……
スッ
？
怎麼了？
人啊……想要保護重要東西的時候，
就真的能變得很堅強。
……
我絕對不會讓你殺死我的同伴的！
老爸最喜歡有伊那利在的城鎮啊……
嗚…
不要動伊魯卡老師……
否則宰了你……

沒錯！
這一點我也知道的很清楚哦。
ス
ッ
你會變得更強的…
我們以後有緣再見吧。
好啊。
啊…
…還有一件事…
我是男的。
！
打——擊！
哇啊，這怎麼可能！
他長得比小櫻還可愛的說——

……
這世界還真是不可思議啊！
？
隔天——修練開始後第七天的早上。
鳴人這傢伙跑哪去啦？
昨天晚上他也一個人偷溜出去。
現在都要吃早飯了，
佐助也只有說去散步，之後就無聲無息的……
！
！
插
！
！

（呼）
（呼）
嘿嘿嘿…
鳴人已經可以爬到那麼高的地方了嗎？
好厲害…
怎樣啊！怎樣啊！
我已經可以…
爬到這麼高的地方了哦！
…呼…

グラッ
唷……
!
滑倒
嘿唷嘿～
啊!
啊!白癡!
!!
不好了!
從那麼高的地方掉下來的話……!
哇啊啊!
呀啊——!!
可惡!身體還沒恢復

ピタッ
騙你們的啦！
嘿嘿！
哈哈哈——！！
被我騙到了！！
被我騙到了！！
哈哈
……
……
沒事不要嚇人啦，白癡！
開什麼玩笑！
小櫻的內心
待會給你死！
フッ
哇啊…這！
ガーン
哇啊——！
鳴人你這個笨蛋！誰叫你要得意忘形！

啊啊啊
呀啊啊啊啊啊啊啊
啊!
你這個大白癡……
佐助——!
呀啊——!
真不愧是佐助!太酷了!
……
他們兩個都成長了不少啊……

ザザァ‥
……漩渦
鳴人啊……
196
197
198
……之前我就很想請教你了……
既然我謊報任務的內容，
為什麼你們還願意留下來幫我呢？
見義不為非勇也，
強將手下無弱兵！
這是前一代火影的訓示。
199

這是忍者的生活方式…
忍者並不是只為了錢賣命。
我的身體幾乎都復原了……
已經好的差不多了。
ポタポタ
好極了！
我們走吧，白！
好的。

①
NARUTO

22：強敵出現！
呼！
呼！
回去吧。
好啊！
呼！

卡喳
哦，你們回來啦！
……你們怎麼啦？看起來真是有夠狼狽的。
ドロ
嘿嘿…我們兩個…
呼
呼
都爬到樹頂了哦……
早就說過不要練到連動都動不了，這個超級大白癡。
很好！
鳴人、佐助，從明天起你們兩個…
也一起負責保護達茲納先生。
瞭解！

呼——我今天也是工作得有夠累的……
因為只差一點大橋就要完工啦。
鳴人跟老爸都不要太胡來啦！
好！
嗯嗯。
ダラーー
ドロ
ドロ
呼呼

真正重要的東西……
要用雙手來保護到底啊！
不要哭……
伊那利……
！
為什麼……
為什麼……
怎麼了？
為什麼你要那麼拼命啊！
就算你再怎麼修練，最後還是打不贏卡多的手下！
不管說的再好聽、再怎麼努力，
在真正厲害的人面前，弱小的人終究是贏不了的啊！

……
……
……
少囉唆，我說過我跟你不一樣啊。
看到你我就覺得很不爽啊！
你根本不瞭解這個國家，還那麼愛出風頭！
你一點都不瞭解我！
我跟你這個沒經歷過痛苦，老是笑嘻嘻的傢伙不一樣！
…就因為這樣…你就可以把自己當成悲劇主角，每天哭得唏哩嘩啦了嗎…？
スッ
！
ピクッ

像你這種笨蛋就永遠哭下去吧！
沒用的愛哭鬼！
…………

……
鳴人！你說的太過分啦！
ガタッ
哼！
ズッ
……
我可以坐這邊嗎…

別在意！鳴人這傢伙不是故意的……
他就是不太會說話……
……
你爸爸的事，我已經聽達茲納先生說過了。
鳴人這傢伙跟你一樣，從小時候就失去了父親。
……不如說他根本沒見過他的父母，而且他連一個朋友都沒有。
老實說，他的過去比你還悲慘……
咦？
可是我從來沒有看過他因為痛苦而感到挫折、鬧彆扭、掉下眼淚。
他總是……

拼命努力想獲得別人的認同…
為了他的「夢想」，他總是賭上性命…
他已經哭夠。
所以…他知道真正的堅強是什麼…
就跟你死去的父親一樣。
…說不定最瞭解你的人就是鳴人啊…
咦？

看來那傢伙……
好像沒辦法不管你啊。
……
那麼鳴人就拜託妳了。
他昨天修練超過體能極限…我想他今天大概沒辦法動了。
那我們走啦！
路上小心。

準備好去襲擊了吧！
喂，再不斷，你有在聽嗎？喂！
ガガ
白，我們差不多該出發了。
好的。
啊——！
我睡過頭了！
奇怪！其他人呢？
啊！鳴人，你睡醒啦？
老師叫你今天好好休息……
ダッ
ダッ
バッ
バッ
我就知道！我就知道！
居然放我鴿子先走！

我走了——
……
ダダダダダダダダ
……
可惡——！他們不會叫醒我啊！
ザザッ
沙沙
嗯？
怎麼了？

這…這是什麼啊！
怎麼啦？
到底發生什麼事了！
有…怪物…
……
應該是那個吧…
伊那利——過來幫媽媽洗衣服——
好——等我上完廁所就過去！
冷笑
カチャ

!
這陣霧……
敵人要過來了！
!
!

他果然還活著啊……
這麼快就過來了……！
卡卡西老師，這是……
這是那傢伙用的霧隱術！
ドクン
プル
プル
好久不見啦，卡卡西。
你還是老樣子，帶著幾個沒用的小鬼啊……他又發抖了哦……真是可憐……

!!
我是高興的發抖！

!!
動手！
佐助！

ガガガ
パシャ
!
ピチャ
ピチャ
スッ…!

看見了！
哦！居然能看出那些是水分身啊…
看來這個小鬼成長不少了哦…
!
白啊…看來你多了一個勁敵哦。
好像是這樣呢。

白啊…看來你多了一個勁敵哦。
好像是這樣呢…

23：2個襲擊…！
看樣子我預測的沒錯啊……
啊！

那個帶面具的小子…
怎麼看他都是再不斷的伙伴啊！還站在一起……
那傢伙現在居然和他堂堂正正地站在一起。
那傢伙由我來對付。
咦？
他竟敢演這種差勁的把戲…我最討厭這種裝神弄鬼的傢伙了。
妳是不會吐佐助的槽啊…小櫻這傢伙真是…
佐助好帥哦！
那個少年真是了不起。
就算水分身只有本尊10分之1的力量，可是他……

居然那麼輕鬆就解決了…
我已經做好準備了。快上！
是。
！
什麼？
！！

！
妳是達茲納的女兒嗎？
不好意思，請妳跟我們走一趟吧。

ジャー
ガシャン
呀啊——!!
!!
媽媽！
這小鬼是幹什麼的！
不要過來！快點逃啊！
要不要把他一起帶走？
只要一個人質就夠了。

ビク
人質…!?
這樣的話…哈哈…
要宰了他嗎？
カチャ
!!
ささっ
等一下！
…你們敢動我兒子的話…我就馬上咬舌自盡！
…你們想要人質吧？

哼…小子，你該好好感謝你媽。
啊啊…我好想找個東西來砍哦…
你不要太過分啊，剛才不是才找東西試過刀了…
快點把她帶走吧。
ズズ
嗚……
嗚……
媽媽，對不起…對不起…
因為我是小孩子又沒用，所以才沒辦法保護媽媽。
而且我不想死啊…
我好害怕啊……
ポタ
ポタ
沒用的愛哭鬼…

……
把自己當成悲劇主角，每天哭得唏哩嘩啦……
他已經哭夠——
像你這種笨蛋就永遠哭下去吧！
沒用的愛哭鬼！
……
他知道真正的堅強是什麼……
就跟你死去的父親一樣。
真正重要的東西啊……
就算失去生命——
也要用雙手來保護到底！

你們……
大家都好厲害……
而且都好帥……
呼——
你們都好堅強啊……
緊握
ビシッ

……我也可以……
我也可以……
變的堅強吧……！
……爸爸！
嘿嘿…看到妳漂亮的肌膚，我就想砍砍看啊！
快點走！
等一下！
ザッ
！
啥？
伊那利！
這不是剛才的小鬼嗎？

放……！
我也可以……！
放開我媽媽——！
哦哦哦哦
哦哦哦！
ダッ
ダッ
唉…真拿這個小鬼沒辦法！
！
！
準備動手哦…
沒問題！
喀鏘
伊那利！
ドッ

!
チン
!
替身術…？
ゴトゴト
!
對不起，我慢了一步！
不過英雄都是晚一步登場的啊…
鳴人哥哥…！
伊那利，幹得不錯喔！

我還以為是誰呢…
原來是達茲納請來的沒用忍者啊…
都是因為你吸引他們的注意，我才能趁機救你媽。
沒…沒有問題嗎？大哥哥！
是啊！
喀鏘
哼…這種東西怎麼會管用啊！
白—癡！

大哥哥…你為什麼知道他們會來這裡啊？
嗯——？
我在森林裡面看到被刀砍死的山豬。
！
此外，旁邊的樹被砍了很多刀，而且都朝向這裡…我很擔心，所以才回來看看。
別提這個了……
伊那利……昨天真是不好意思啊。
！
咦？
嘿嘿。
對不起，我罵你愛哭鬼。
就當我沒說過吧。
摸頭
！

你很堅強哦！
……
…我已經決定以後不要再哭了…
這樣我又會被鳴人哥哥罵是愛哭鬼…
可惡！
？

……
你說什麼啊…？
咦？
……那個傢伙是我認可的，
優秀學生——
他現在已經不是妖狐了。
他是木葉忍者里的……
漩渦鳴人。
……
？

高興的時候啊，
哭出來也可以哦！

ぶわあああ
大哥哥……
接下來，
既然這裡被襲擊的話，那大橋那邊也就危險了…
這裡交給你也沒問題了吧。
………
嗯嗯…
ゴシ
ゴシ
真是的，英雄還真是辛苦啊！
就是說啊！
ザッ

24：速度！

哦……
居然能看穿他的速度…
嗯嗯……
小櫻！把達茲那先生圍起來，不要離開我！
那個人就交給佐助了！
好！
踏
ダッ

我不想殺你……
可是你也不肯退下去吧……
別說傻話了……
果然…可是你跟得上我接下來的速度嗎？
尤其現在我已經佔了2個優勢。
2個優勢？
第一個是灑在這附近的水…第二個是我單手就擋住了你…
所以你只能防禦我的攻擊……

什麼！
這傢伙居然單手……！
他居然單手結「印」？我從來沒看過…
秘術！
千殺水翔!!
！

不想殺死他…
這是你的真心話嗎…
佐助！
快點回想起…
那些修練啊…
一口氣把查克拉提煉出來…
集中在腳上！

！
消失了？

!
カッカッカッ
キィン
ザッ
カッ
ザッ
沒想到你動作還挺慢的啊…
!!
接下來你……
只能防守我的攻擊而已！

パシィ
!

グッ
ピッ
!
……好……好快……!
ザッ

ドカ
什麼……！
白的動作居然比他慢……
嗚！
看樣子我的速度好像比較快啊…
你滿口小鬼、小鬼的叫，要是太小看我們團隊的話，那可就傷腦筋囉…
別看他這樣，佐助可是木葉忍者村的第一新人…
而小櫻則是村子裡腦筋最好的忍者…
嘿嘿！
小櫻的內心
厲害吧！
還有另外一個，
愛出風頭，最出人意料之外的胡鬧忍者——鳴人。

咯咯…
咯咯咯…
?
白…你還不明白嗎?這樣下去死的可是你哦…
是啊…
真是太可惜了……
怎…怎麼了…
這股…冷氣是…?
!
ピチャ
ピィ

秘術
キキキ

パキ!!
魔鏡冰晶!!

怎麼？
這忍術是？
キラ
バシャ
!
什麼…
キラッ
スッ
パッ
!
パッ
パッ
パッ
パッ
パッ

可惡！
！
你的對手——
應該是我吧。
既然他使出那個忍術的話…那傢伙就死定了。
嗚…
那…我差不多要開始了。
這是…鏡子？他到底要幹什麼…
就讓你看看我真正的速度吧。

！
好痛！
哇啊啊！
佐助…！

哇啊啊啊啊啊啊！
要是你輕舉妄動的話，我就殺了那兩個人！
嗚…
佐助！
!!
嗚…
哇啊啊……
……
達茲那先生，對不起…我稍微離開一下……
…嗯…
妳去吧…
ダッ
喀鏘
佐助！
ピシュ!

パ
接住
!!
!
!!
被他躲過了!
ガッ
ズズッ
嗚…!
ドパシャ!

!
是誰？
那個傻瓜…
愛出風頭的笨蛋…
…最出人意料之外的…
胡鬧忍者…？
漩渦鳴人！
就此登場！

〔主要角色的初期設定稿〕

春野 櫻

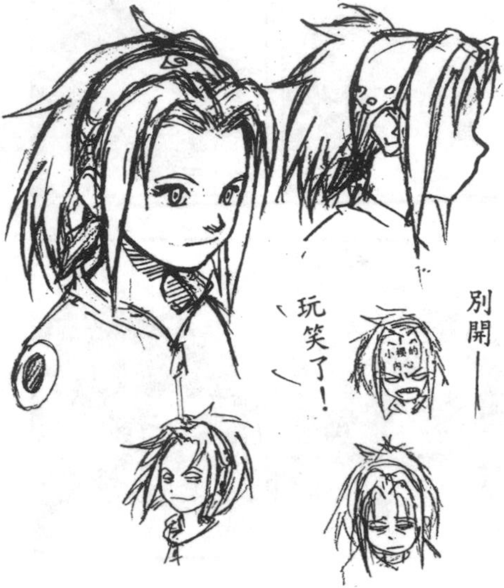

這就是小櫻的初期設定。我現在看到這些稿子，才覺得她根本就不可愛！其實我本身不擅長畫女孩子，所以一直沒辦法畫出可愛的女孩子。這一點一直困擾著我…編輯、周圍的人與所有的助手，都認為小櫻這個角色的外表與個性——「實在是個不可愛的女孩子」呢！（笑）

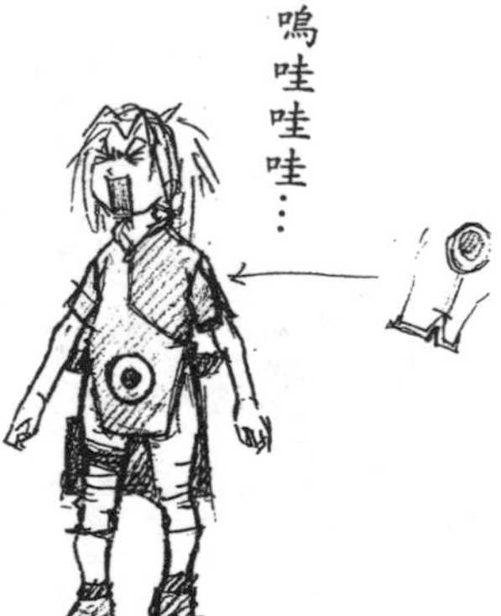

但是我本身倒是蠻喜歡小櫻的外表與個性呢！
其實每個人都有像「小櫻的內心」這種內心的聲音，而且她還會擅自去愛上別人，我覺得這些地方倒是很有真實感，所以我認為這個角色不錯。
漫畫裡的女性角色並不一定要長得很可愛！這句話聽起來好像在為我自己找藉口…不過，我真的很擅長畫調皮的小鬼與老頭子，畫女孩子對我來說，真的是太難了…

25：為了夢想…！

只要我趕來…就沒問題啦！
故事裡的主角通常都是這個樣子登場的啦——！
敵人就交給我來解決吧！
真是的……那個傻瓜！
那麼顯眼的登場…那樣會變成絕佳的靶子啊！
鳴人——！
廢話真多…
哼……
那個小鬼啊……
……

修練！
我想變得更強啦！
糟糕！
！
！
來了！

!
!?
キン
キキン
キン
!?
白…你這是什麼意思?
再不斷先生，這個人請交給我對付……
スッ
這場戰鬥請用我的方式來進行。

……
你的意思是叫我不要出手嗎…白。
…你這傢伙…還是一樣天真啊…
天真嗎…的確如此…
從這些傷口看來，我的確是被飛針攻擊所傷…
到目前他還沒有瞄準要害攻擊…他想活活整死我嗎…
…可是這到底是什麼忍術啊？
讓分身躲到鏡子裡面，然後所有人同時用飛針攻擊…
不…這樣未免也太快了…
我可是連武器的路徑也看不清楚啊…
而且如果這只是分身術的話，那我找不到他需要這些冰鏡的理由…
總而言之，這些冰鏡毫無疑問的是他攻擊的重要手段。
至於現在…既然我人已經在裡面…
那就只能叫鳴人從外側試著攻擊看看了……

喂！我來救你了！
ドン
！！！！
你…你這個大白癡！忍者行動的時候要慎重啊！
現在連你也跑到鏡子裡面…可惡！我真是受不了你這個白癡！
你說什麼啊！我可是專程趕來救你的耶！
他真不愧是最叫人意外的忍者啊…
來救人的人，反而把情況越弄越糟了…
…要是我趕去佐助跟鳴人那邊的話，達茲那先生就危險了。
…可是我又不能放著他們2個不管…
你要是敢用半調子的影分身的話，
我馬上就用水分身阻止你…而這只不過是浪費你的查克拉而已…

ズズズ
ズズズズ
！
！
很好！那邊是本尊嗎……
喀鏘
我在這裡哦。
!!
居然移動了？
流…
這樣的話……
我就連鏡子一起破壞掉！
這…這是怎麼回事啊！
パ
火遁！
這些是用冰作成的鏡子……這樣的話……

大火球術！
！
ゴゴゴゴ
根本一點用也沒有嘛！
這種火力可沒辦法融化鏡子的哦。
嗚…

キラ
スッ
哇啊！
ガッ
啊啊！
ザザ
ザッ
他是一口氣從哪裡攻擊的啊！
分身嗎？
本尊到底在哪裡？
用眼睛來追是沒用的。
你們絕對跟不上我的。
哼！
影分身術！
不要這樣！
バッ

那我就把所有的鏡子都打壞，來確認他的本尊到底在那裡吧！

ズッ
パシャ
ボン
ボン
ボン
ボン
ボン
ボン
哇啊啊啊啊！
!

這個忍術是只照出我，利用鏡子反射的移動術。
以我的速度來看，你們簡直跟站著不動一樣…
ドザザッ
！
果然沒錯！
沒想到那個少年居然學會了那種忍術…？
咯咯咯…
！
那種忍術…？
就是血繼限界！

那是非常深的血統相連…超常個體的遺傳…
這是只有子子孫孫代代相傳的忍術…
這樣的話……
沒錯…換句話說，這跟我的寫輪眼情況相同…
就算是我也沒辦法模仿那個忍術…而且沒有破解的方法…
……
渾帳…
那又怎樣……
！
我怎麼可以死在這種地方？
我還有非得實現不可的夢想啊…！
我要成為村子裡最強的忍者！
我要讓大家認同我的實力！

夢想……
咯咯……可憐的小鬼。
像你這種小鬼，根本沒有人會需要你。
你就沒有自由，沒有夢想的死去吧……
！
…大哥哥…的眼睛……跟我一樣…

……
對我來說，變成捨棄所有情感的真正忍者是很難的事。
如果可以的話，我不想殺死你們…
但我也不想讓你們殺死我……
可是你們既然向我出手的話……！
我就狠下心切斷所有的情感，成為一個真正的忍者。
這座橋是連接到每個人夢想的……
戰場！

我為了我的夢想而戰，
你們為了你們的夢想而戰，
請不要恨我。
我想保護很重要的人…想為了他工作，為了他而戰，想讓他的夢想實現…
這就是我的夢想。
為了這個，我可以成為真正的忍者，
殘忍地殺死你們。

佐助！鳴人！不要輸給那種傢伙！
不要說了，小櫻，不要替他們打氣！
咦？
就算萬一有破解那個忍術的方法，他們也沒辦法打敗那位少年…
！
這…這是怎麼回事啊？
咯咯…
咯咯咯…

他們還無法扼殺自己的感情，
所以他們無法成為真正的殺人機器。
那位少年真的很清楚忍者的苦惱。
……你們那種習慣和平的忍者村，是沒辦法培養真正的忍者啦……
那是因為你們不能累積忍者戰鬥中最重要的「殺人經驗」啊…
那、那該怎麼辦啊？老師！
……………

不好意思……
我一瞬間就要把你解決掉。
咯咯……寫輪眼……
你這傢伙還真是沒新招啊！

26：
封鎖寫輪眼…！

沙
!
寫輪眼!

ボタ
ボタ
ボタ

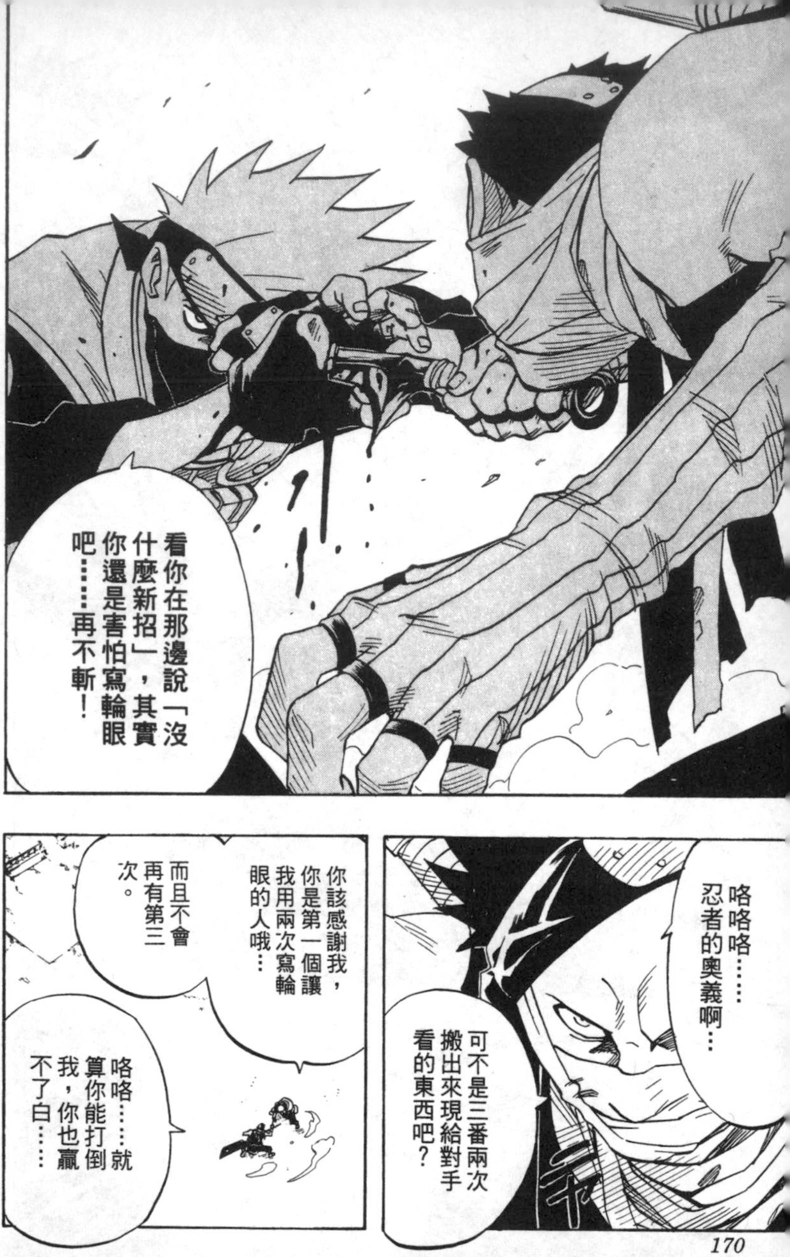
看你在那邊說「沒什麼新招」，其實你還是害怕寫輪眼吧……再不斬！
咯咯咯……忍者的奧義啊……
可不是三番兩次搬出來現給對手看的東西吧？
你該感謝我，你是第一個讓我用兩次寫輪眼的人哦……
而且不會再有第三次。
咯咯……就算你能打倒我，你也贏不了白……

他說卡卡西老師贏不了白…那個帶面具的小孩子有那麼厲害嗎？
老師……！
我從他小時候開始，
就徹底的教導他戰鬥術。
即使他在無法置信的困境中，也表現得非常出色。
他是個不但沒有「心」，就連「生命」這個概念也捨棄掉的戰鬥機器。
而且他的忍術就連我也比不上！
還有血繼限界這種恐怖的機能！
所以我得到了非常好用的工具。
ズボッ
他跟你帶的那些廢物不一樣啊……！

沒有比聽別人自誇還要無聊的事啦……
那我們差不多該開始了吧！

等一下…既然如此，那我就借用你的話，再自誇一下好啦。
我記得你的確說過這句話…
!?
!
嘿嘿…我想學你說這句話，想得不得了啊。
……
?
「我先跟你聲明」
「同樣的忍術不能對我用第2次」
…是這樣沒錯吧…

！
我已經把你眼睛的無聊系統，
全都看穿啦！
上一次戰鬥，我可不是呆呆的像個傻瓜一樣被你打著玩的。
嗚啊…
結束了…
我叫躲在樹林裡的白，把那場戰鬥觀察得非常清楚。
白的腦筋很好…幾乎所有忍術被他看過一次，他就可以用他的分析能力來找出對策。
！
忍法
霧隱術。

嗚…
喂——佐助！這下我們只能到處逃命啊！
乖乖站起來！我可沒空去照顧你。
(呼)
(呼)
快點動起來，受一點傷是難免的，總之只要躲過致命傷就好了！
我想他的查克拉也是有極限的！現在他正在一點一點的…
要過來了！
沙

小櫻！達茲那先生拜託妳了！
！
……
…沒錯…我要相信佐助！
我就做我該做的事！
這是什麼啊…霧真是超級濃的…幾乎完全看不到四周…
敵人好像也是玩真的！
達茲那先生，千萬不要離開我！
喔，小櫻！
說是霧隱，但這個霧未免也太濃了…
這樣下去，應該連再不斷也看不見……

シュルルル
シュルルル
!
キン
嗚！
キン
キン
キン
キン
キン
キン
想不到你居然躲開了…真不愧是寫輪眼的卡卡西啊。
スッ
!

不過…下一次…你看到我的時候，就是一切都結束的時候…
他居然…把眼睛閉起來！
你把你的寫輪眼看得太了不起了。
スウ…
什麼…
ススウ…
咯咯咯……

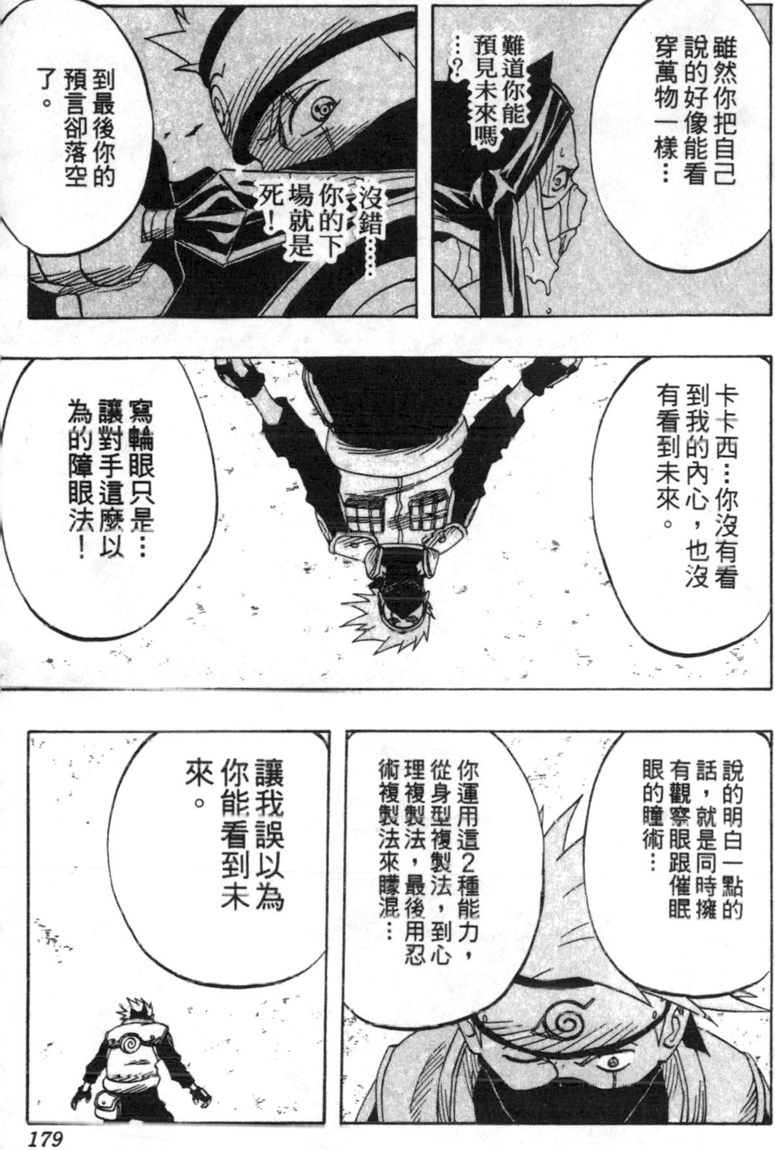
雖然你把自己說的好像能看穿萬物一樣…
難道你能預見未來嗎…？
沒錯……你的下場就是死！
到最後你的預言卻落空了。
卡卡西…你沒有看到我的內心，也沒有看到未來。
寫輪眼只是…讓對手這麼以為的障眼法！
說的明白一點的話，就是同時擁有觀察眼跟催眠眼的瞳術…
你運用這2種能力，從身型複製法，到心理複製法，最後用忍術複製法來矇混…
讓我誤以為你能看到未來。

首先你用觀察眼立刻模仿我的動作，讓我內心動搖…
舉起
"身型複製"法
哼…反正你是照抄的！
你是贏不了我的啊，要猴戲的傢伙！
當你確認我內心動搖後，你再徹底模仿成我，說出我「內心的話」——然後…
"心理複製"法
你觀察我達到焦躁的頂點的時候，再設下巧妙的陷阱。
用催眠眼對我使幻術，讓我先把印結好…
然後你只要模仿這個就好了。
"忍術複製"法

只要看透這一切，事情就簡單了。
！
首先，我隱身於濃霧之中，封住你的觀察眼…
哇啊！
可惡！
這種情況下，抵擋會慢一步！
嗚！
哈哈哈…然後我閉上眼睛，封住你在近距離戰中用催眠眼的可能性。
ガガガ
嗚…為什麼…
這樣你應該也會看不到啊…
你忘記了嗎……
什麼？

我是只靠聲音就可以掌握目標的無聲殺人術的天才啊！
可惡…佐助跟鳴人也很叫人擔心…
我好久沒有在這麼惡劣的情況下戰鬥了。
我要冷靜…仔細想想看…
他的目標到底是誰？

！
不好了！
スウ…
卡
ダッ
咦？
!!

太慢啦！
呀啊啊啊啊啊啊啊！

呼
!!
剛才那是小櫻的聲音！外面發生什麼事了嗎？
卡卡西老師在搞什麼鬼啊？
可惡！這樣下去真的很危險啊。
現在只能靠我來想辦法啦。
呼呼
呼呼
很不可思議的我的眼睛已經慢慢習慣了…
明明都是瞄準會成為致命傷的穴道出手的…
可是全都落空了…
不光是這樣，他還一邊擔心同伴一邊戰鬥。
…而且還漸漸地掌握我的動作…
那個少年…
好像看到什麼東西了…！

真人版的鳴人

27：覺醒…！

你的動作……
很快……
可是下次，我就可以阻止你…
ズッ
運動機能、反射神經、狀況判斷能力……
バッ
你應該已經到達極限了……
要來了！
冷靜一點……
集中精神……
看穿他的動作！

!!
!
!
他完全閃開了？
這怎麼可能…！
!!
!

他的眼睛…難道是…！
寫輪眼…！
…你是……！
原來如此…你也是血繼限界的血統…
他真是太厲害了…雖然還不完全，
雖然只有一點…但我看到了！
可是他居然在戰鬥中讓這種才能覺醒了…
這樣的話，我要速戰速決…
我這個忍術需要相當多的查克拉，而利用忍術來保持移動速度也是有極限的。

所以恐怕這場戰鬥拉的越長……
我的動作就越能被你所判斷出來。
！
如果你的眼睛已經開始捕捉到我的動作，這樣的話……！
……那就用他來引誘你製造空隙。
直接對付你……看來是我想的太簡單了嗎？
嗚……
這下子就分出勝負啦！
什麼！他居然攻擊鳴人？
可惡…！讓我趕上啊！
!!

嗚……
!!
卡卡西老師！
卡卡西……你還是慢了一步啊！
是因為你一心想救那些小鬼，所以讓你分散注意力，再加上這陣濃霧的緣故嗎……

……雖然你的眼力還是很不錯，
可是你判斷敵人動作的能力已經變得很遲鈍。
咯咯咯……你要讓我多享受享受啊，卡卡西。
我想以愉快的心情還你的帳哦！
你就不用擔心了，那兩個小鬼應該差不多被白幹掉了。
カチャ
而我也會馬上送你去跟他們會合。
你就在九泉之下，一邊感嘆自己實力不足，一邊跟他們道歉吧。
咯咯咯…哈哈哈哈哈！
……
……

開什麼玩笑啊！
佐助才不會那麼簡單就被那種傢伙幹掉呢！
小櫻的內心
開什麼玩笑啊！
開什麼玩笑啊！
鳴人也是一樣！
沒錯，就是這樣……
……
！
我相信他們的實力。鳴人的意外性……
還有佐助他身為木葉忍者中最優秀一族的正統血統！

……!!
難道說…
沒錯…
他的名字是宇智波佐助。
繼承宇智波一族之血繼限界血統的…
天才忍者!
那個悲劇一族的後代嗎……
難怪他成長的那麼快…
スッ
不過白也是一樣。
沒有人能破解白的秘術，過去從來沒有人辦得到……
スウゥ…

他又消失了！
小櫻，妳站在原地不要動！
我也差不多該收拾你了吧…
ザッ
咦？好…好的！
噠
再不斷，你能聽到我說的話嗎…
你以為我只靠寫輪眼這招，就能在這個世界混下去嗎…
ザッ
啪喳
我也是待過暗部（暗殺戰術特殊部隊）的人。
我以前是個怎樣的忍者呢…
啪嘰
嘶咚
接下來就不是模仿了…我要用我自己的忍術。

嗯……嗯……
ピク
!!
……真是的，你……每次都是……在那邊礙手礙腳……
佐助！你……
!

你……你這是什麼表情……啊……
……你這個……超級……大白癡……
…………
為…為什麼…
他替我擋下來了…?

じっろー
為什麼…
拿去。
有一種忍術是掙脫術…
吊車尾
喂，鳴人！
ズコーン
我怎麼知道…
再來一碗！
スッ!!
我要讓全村的人都承認我的存在。
…孤獨，
咦？
那不是被父母罵覺得很難過…那種程度比得上的！
ドロー
哼。
……
我本來最討厭你了……

為什麼…你為什麼要這樣…
為什麼…我才不要…
ポタ
你來多管閒事——!
…我怎麼知道…啊…
是我的身體擅自…做出…反應的啊…豬頭…!
ゴフッ
ド
ザ
!
!
グラ

那個傢伙……我下定決心……殺死…我哥之前…怎麼可以…就這樣…死了啊…
你可別死啊…
!
ドクン
他毫不猶豫地…承受了我的攻擊。
他為了保護你而死。
ムクッ..
他為了保護重要的人，就算知道是陷阱，也勇敢地衝了過來。
他是一位值得尊敬的忍者…

這是你第一次面對同伴死亡嗎…
這就是忍者之道啊……
ズッ
ズズズズ
……
少囉唆…
其實我也是…我也是最討厭你的啊…
絕對饒不了你…
!

③ 為了夢想…！（完）下集待續

JC08203 C0P208

火影忍者③

原名：NARUTO—ナルト—③

行政院新聞局局版北市業字第855號
■作　　者　岸本斉史
■譯　　者　方郁仁
■執行編輯　陳苡平
■發 行 人　范萬楠
■發 行 所　東立出版社有限公司
■東立網址　http://www.tongli.com.tw
台北市承德路二段81號10樓
☎(02)25587277　FAX(02)25587281
■劃撥帳號　1085042-7（東立出版社有限公司）
■劃撥專線　(02)28100720
■印　　刷　嘉良印刷實業股份有限公司
■裝　　訂　台興印刷裝訂股份有限公司
■法律顧問　曾森雄律師　曲麗華律師
■2001年3月5日第1刷發行
2001年6月15日第2刷發行

日本集英社正式授權台灣中文版

ISBN 957-731-655-7　定價：NT80元
TAIWAN CHINESE EDITION, FOR DISTRIBUTION AND SALE IN TAIWAN ONLY
台灣中文版・僅限台澎金馬地區發行販售